Das große Rätselbuch für clevere Kinder

ab 4 Jahre. Geniale Rätsel und brandneue Knobelspiele für Mädchen und Jungen. Logisches Denken und Konzentration spielend einfach steigern

Melanie Fuchs

Inhalt

Hallo, liebe Rätselfreunde!

Ganz viel Spaß beim Lösen dieser kniffligen Rätsel. Manche sind einfach, bei anderen dauert es etwas länger, bis man auf die Lösung kommt. Am besten nimmst Du Dir einen Stift zur Hand, schärfst deine Sinne und legst einfach los.

Die Lösung kannst Du ganz einfach in die Schreibbox schreiben. Diese findest Du direkt unter dem jeweiligen Rätsel.

Wenn Du dann Deine Lösung in die Schreibbox geschrieben hast, kannst Du eine Seite weiterblättern, dort findest Du dann die richtige Lösung, aber nicht pfuschen!

Die Rätsel sind so gewählt, dass Kinder in der Grundschule sie lösen können.

Ob z.B. als Zeitvertreib an regnerischen Tagen, auf dem Weg in den Urlaub oder in der Schulpause, die Rätsel vertreiben Dir die Langeweile, wo auch immer Du möchtest.

Viel Spaß mit den Knobelaufgaben und denke daran, gepfuscht wird nicht!

Die lange Nase

Es gibt ein Kind, das kennt ihr bestimmt. Es bekommt beim Lügen eine lange Nase.
Wer ist das?

Lösung: Pinocchio

Laterne, Laterne

Huch, hier ist doch glatt ein Wort verschwunden.
Weißt Du, welches es ist?
Laterne, Laterne, Sonne, Mond und ...

Lösung: Sterne

Die Reparatur

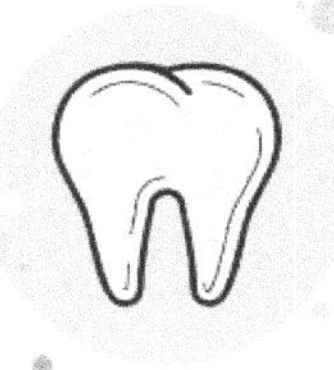

Wer repariert die Zähne, wenn sie kaputt gegangen sind?

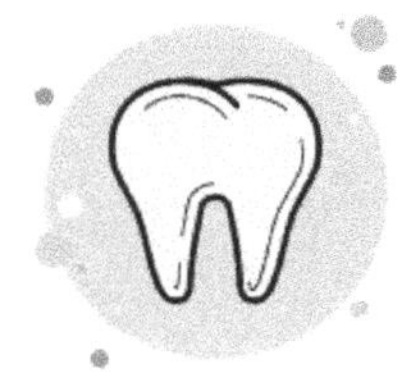

Lösung: Der Zahnarzt

Auf dem Teich

Es schwimmen ein paar Tiere auf dem Teich, die
können fliegen und machen Quack, Quack.
Welche Tiere sind dies?

Lösung: Die Enten

Geschmolzen

Jedes Kind mag mich gerne. Es gibt mich in vielen Farben. Ich bin ganz kalt und in der Sonne schmelze ich.
Was bin ich?

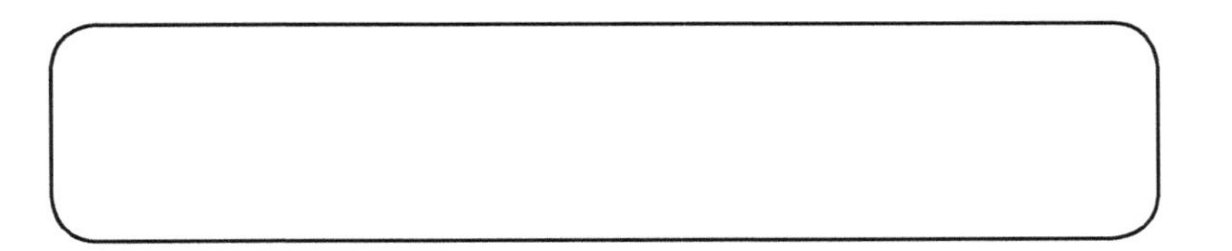

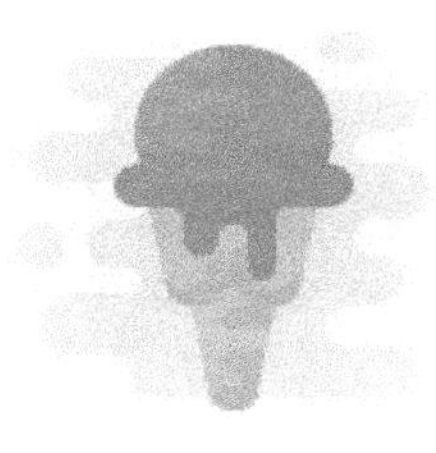

Lösung: Ein Eis

Kleine Männchen

Sie haben kleine grüne Hüte an und leben hoch oben auf den Eichen.
Im Herbst fallen sie auf den Boden und Kinder sammeln sie im Wald.
Was ist es?

Lösung: Die Eicheln

Summ, summ, summ

Summ, summ, summ,
fliegt sie um die Blume rum.
Trägt den süßen Honig heim,
kennst Du dieses fleißige Tierlein?

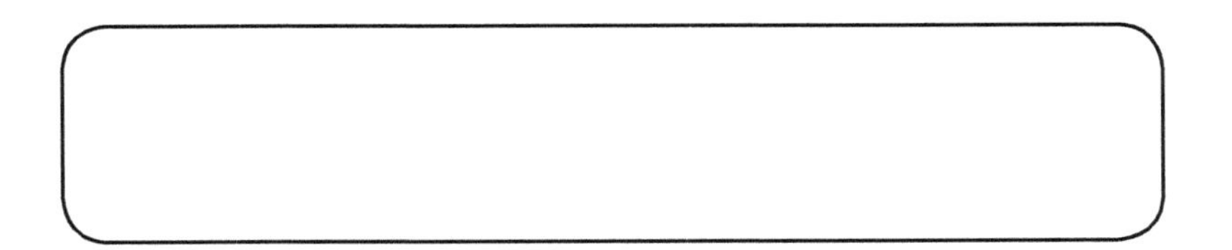

Lösung: Die Biene

Immer im Haus

Es gibt ein Tier, das schwimmt auf der See. Auf dem Boden wandelt sie. Nie verlässt sie ihr sicheres Haus, egal, ob sie schläft oder geht.
Kennst Du dieses Tier?

Lösung: Die Schildkröte

Löchrig

Wer bin ich?
Löcher habe ich viele, aber das Wasser kann ich dennoch halten.

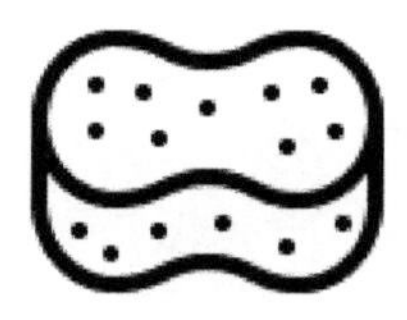

Lösung: Der Schwamm

Nur Du

Gehören tut es nur Dir, allerdings benutzen es alle anderen mehr als Du.
Was ist das?

Lösung: Dein Name

Fliegen und weinen

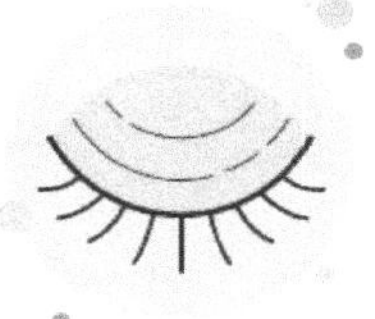

Ich weine, aber habe keine Augen.
Ich fliege, aber habe keine Flügel.
Kennst Du mich?

Lösung: Die Wolke

Der Käseliebhaber

Ich liebe Käse und bin sehr klein.
Angst habe ich vor der Katze.
Die Leute mögen mich nicht und schmeißen mich aus dem Haus.
Weiß Du wer ich bin? Ich bin eine ...

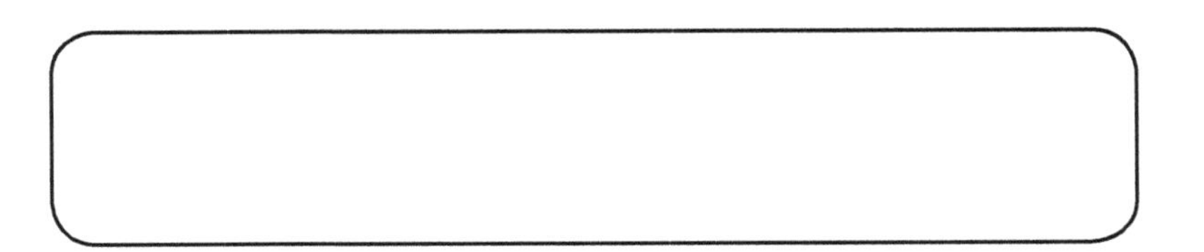

Lösung: Maus

Die Gesichter

Ich zeige jedem ein anderes Gesicht.
Manchmal habe ich mehrere Gesichter gleichzeitig.
Aber wenn ich allein bin, habe ich gar kein Gesicht.
Wer bin ich?

Lösung: Der Spiegel

Am Himmel

Sie sind am Nachthimmel weit und breit,
tausend kleine Lichter dort stehen,
aber wenn der Himmel wolkig ist,
kann man sie gar nicht sehen.
Wer sind sie?

Lösung: Die Sterne

Herr Langohr

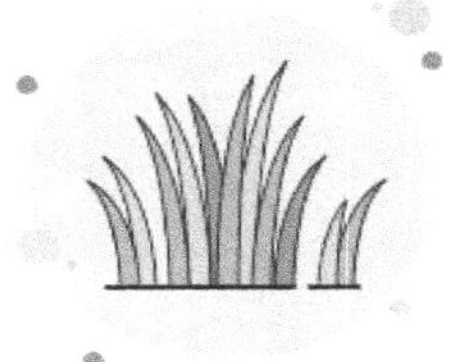

Ich habe lange Ohren und einen kurzen Schwanz.
Ich verstecke mich im hohen Gras.
Zu essen mag ich Karotten und Salat.
Ich bin ein...

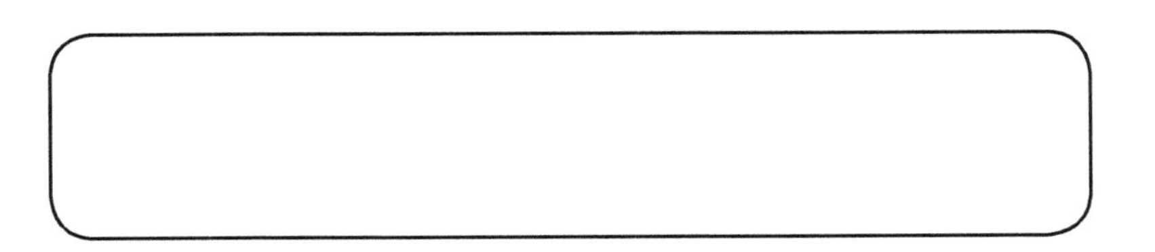

Lösung: Hase

Die Sonne zu Hause

Die Sonne bringe ich Heim,
allerdings muss ich dafür völlig sauber sein.
Die Leute mögen mich einbauen,
um durch die Wand zu schauen.
Wer bin ich?

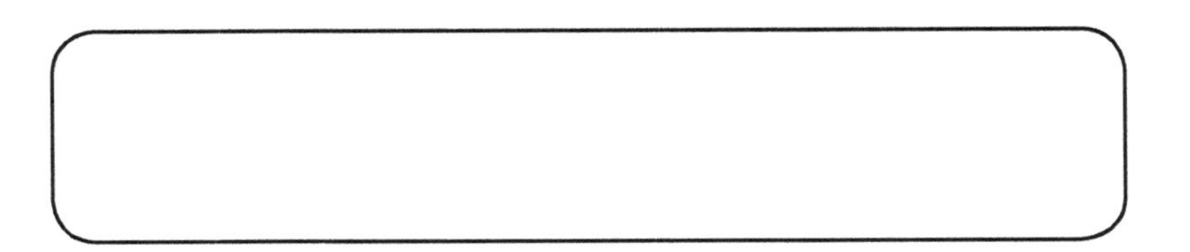

Lösung: Das Fenster

Der schwimmende Löwe

Welcher Löwe ist ein sehr guter Schwimmer?

Lösung: Der Seelöwe

Das Pferd

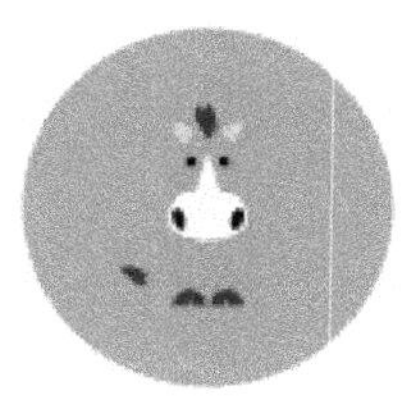

Es gibt ein Pferdchen, auf dem man nicht reiten kann.
Welches ist es?

Lösung: Das Seepferdchen

Gebissen?

Was ist das?

Es hat viele Häute und beißt die Leute.

Lösung: Die Zwiebel

Der Mann im Gras

Wer bin ich?
Ich bin ein Mann und geh im Grase,
ich habe eine lange Nase,
ich habe rote Stiefel an,
bewege mich wie ein Edelmann.

Lösung: Der Storch

Der Baumspringer

Wer bin ich?
Ich habe ein Nest auf einem Baum,
hüpfe auf den Ästen rum.
Allerdings bin ich kein Vogel.

Lösung: Das Eichhörnchen

Die Bewohner der Straße

In welcher Straße wohnen Ernie und Bert?

Lösung: Sesamstraße

Der Baumeister

In welcher Sendung spricht ein Baumeister mit seinen Baumaschinen?

Lösung: Bob der Baumeister

Auf den Bergen

Bei wem wohnt Heidi in den Bergen?

Lösung: Beim Großvater

Die Großmutter

Es gibt ein Mädchen, dass eine kranke Großmutter im Wald hat.
Wie heißt das Mädchen?

Lösung: Rotkäppchen

Der Wikinger

Wie heißt das schlaue Wikingerkind aus Flake?

Lösung: Wickie

Der beste Freund

Wie heißt der beste Freund von Biene Maja?

Lösung: Willi

Gassi gehen

Mit welchem Tier muss man täglich Gassi gehen?

Lösung: Dem Hund

Eier legen

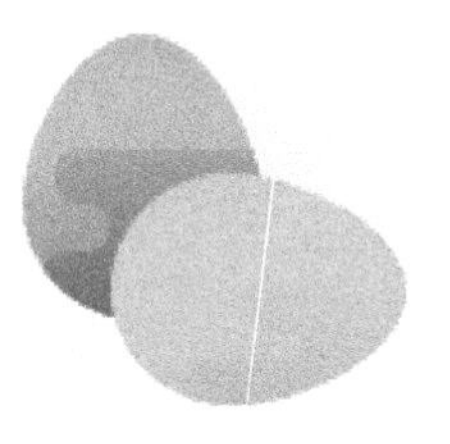

Welches Tier legt Eier und gackert viel?

Lösung: Das Huhn

Dschungelbuch

Wie heißt der Menschenjunge aus dem Dschungelbuch?

Lösung: Mogli

Feuerwehrmann

Wie heißt der Feuerwehrmann von den Paw Patrol?

Lösung: Marshall

Ninjas

Wie heißt der grüne Ninja aus Ninjago?

Lösung: Lloyd

Verstecken

Wer versteckt an Ostern die Eier?

Lösung: Der Osterhase

Die Hand

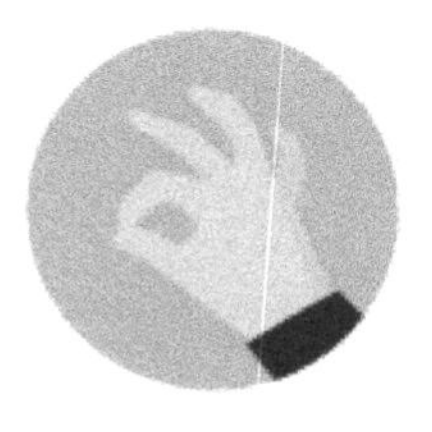

Wie viele Finger sind an einer Hand?

Lösung: Fünf

Leckeres Obst

Welches Obst lieben Affen? Sie sind gelb und krumm?
Weißt Du es?

Lösung: Bananen

Der König

Welches Tier ist der König der Tiere?

Lösung: Der Löwe

Die Zwerge

Wie viele Zwerge helfen Schneewittchen?

Lösung: Sieben

Der Dieb

In einem Kinderlied stiehlt ein Fuchs etwas.
Was ist es?

Lösung: Die Gans

Das graue Tier

Ich bin ein graues Tier und mache „i-aah".
Wer bin ich?

Lösung: Der Esel

Das dicke Tier

Ich bin dick und grau, habe zwei riesige Zähne und einen langen Rüssel.
Wer bin ich?

Lösung: Der Elefant

Die Farbe Gelb

Ich wachse auf dem Feld, bin richtig groß und Gelb.
Man kann mich auch pflücken.
Wer bin ich?

Lösung: Die Sonnenblume

Milton Keynes UK
Ingram Content Group UK Ltd.
UKHW051100060224
437337UK00006BA/278